# JENNY DALE

# Psíček a mačička

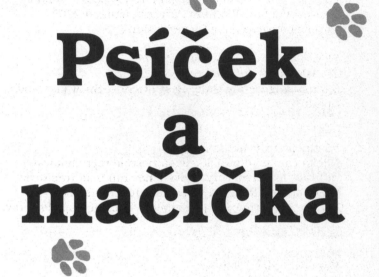

MLADÉ LETÁ

# Chapter One

"Come on, Snowflake!" Sparkle scampered off down the garden. She was chasing the soft, spongy ball that their owner, Ben, had just thrown for them. "Bet I get to the ball first!"

"Wait for me!" Snowflake barked at the kitten. Sparkle's legs were much shorter than Snowflake's, but she always seemed to get about much faster than he did. Snowflake was a creamy yellow golden retriever puppy. He had very soft fur and big silky paws. Whenever he chased after things, his legs seemed to get tied up in knots!

"Got you!" Sparkle reached the ball and stopped it neatly with one white paw. But as she turned, she saw Snowflake pounding down the garden towards her. "Snowflake!" Sparkle mewed in alarm. "STOP! Watch out for the holly bush!"

"Help!" Snowflake barked, as he tried to skid to a halt. "Get out of my way, Sparkle!" His legs skittered in all

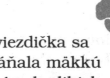

# Prvá kapitola

„Tak poď už, Sniežko," Hviezdička sa
rozbehla po záhrade. Naháňala mäkkú
penovú loptu, ktorú im práve hodil ich
majiteľ Ben. „Stav sa, že dobehnem
k lopte prvá!"

„Počkaj na mňa!" Sniežko zabrechal
na mačiatko. Hviezdičkine nohy boli oveľa
kratšie ako Sniežkove, ale zdalo sa, že
vždy sa pohybuje oveľa rýchlejšie ako on.
Sniežko bol krémovožlté šteniatko zlatého
retrievera. Mal veľmi mäkkú srsť a veľké
hodvábne labky. Kedykoľvek sa za niečím
rozbehol, zdalo sa, že sa mu zamotali
nohy.

„Mám ťa!" Hviezdička chytila loptu
a šikovne ju zastavila jednou bielou
labkou. No keď sa otočila, zbadala
Sniežka, ako sa ženie záhradou smerom
k nej. „Sniežko!" varovne zamňaukala
Hviezdička. „STOJ!" Dávaj pozor na
cezmínový ker!"

„Pomoc!" zabrechal Sniežko, keď sa
usiloval v šmyku zabrzdiť. „Uhni mi
z cesty, Hviezdička!" Nohy sa mu rozleteli

directions as he slipped and slithered on the damp grass. Crunch! He landed head first in the prickly holly bush.

"Are you all right?" Sparkle mewed, rushing over to Snowflake as he picked his way out from among the spiky leaves.

"No, I pricked my nose," Snowflake whimpered, rubbing his muzzle with his paw.

Sparkle felt very sorry for her friend. "Bend down, and I'll give it a lick," she mewed. Reaching up on tiptoe, she gently licked Snowflake's sore nose.

"I think I'll just sit and watch from now on," Snowflake woofed. He flopped down on to the grass. "You're *much* better at chasing things than I am, Sparkle."

"It's more fun if you're playing, though," Sparkle miaowed, feeling disappointed. She picked up the squashy ball in her mouth, and trotted back to Ben.

"Well done, Sparkle," Ben laughed. "You're more like a puppy than a kitten!"

Sparkle purred proudly. She loved chasing after things and bringing them back to Ben.

Snowflake watched as Ben threw the ball across the lawn again for Sparkle. He wished he was as clever as his friend. Sparkle never tripped or slipped or

na všetky strany, keď sa pošmykol
a zviezol sa na vlhkej tráve. Prásk! Hlavou
pristál v pichľavom kre cezmíny.

„Si v poriadku?" zamňaukala
Hviezdička a ponáhľala sa k Sniežkovi,
ktorý sa usiloval vyslobodiť z ostnatých
listov.

„Nie, pichol som sa do nosa," zakňučal
Sniežko a trel si ňufáčik labkou.

Hviezdičke bolo jej priateľa veľmi ľúto.
„Zohni sa a ja ti ho oblížem," zamňaukala.
Natiahla sa na špičky a jemne oblizla
Sniežkov boľavý ňufáčik.

„Myslím, že od odteraz si už len
sadnem a budem sa pozerať," zabrechal
Sniežko. Hodil sa do trávy. „Si *oveľa* lepšia
v naháňaní ako ja, Hviezdička."

„Je však omnoho zábavnejšie, keď sa
hráš aj ty," zamňaukala Hviezdička
sklamane. Vzala zmäknutú loptičku do
papuľky a odcupkala späť k Benovi.

„Výborne, Hviezdička," usmial sa Ben.
„Viac sa podobáš na šteniatko ako na
mačiatko!"

Hviezdička pyšne zapriadla. Veľmi rada
sa naháňala za vecami a prinášala ich
naspäť Benovi.

Sniežko pozoroval, ako Ben znovu hodil
Hviezdičke loptu cez trávnik. Túžil byť taký
šikovný ako jeho priateľka. Hviezdička sa
nikdy nepotkla, ani sa nepošmykla, ani

knocked things over, like Snowflake did. Sparkle always moved quickly and neatly. She was a very pretty kitten, with thick tortoiseshell fur. She kept her little white bib and her four white paws very clean, even though she loved running around and playing in the garden.

"*Well!* I've never seen anything like *that* before!"

Snowflake jumped up, nearly tripping over his own paws. *Who said that?* He looked around.

Rocky, the old ginger tom from next door, was perched on the fence. He looked disgusted. "A cat who thinks she's a dog!" Rocky went on, staring at Sparkle chasing the ball. "Whatever is the world coming to?"

"Hello, Rocky," Snowflake woofed, wagging his feathery tail. He was secretly rather scared of the grumpy old tom.

"It's not right, Rocky grumbled. "You're the dog, so *you* should be chasing after the ball and bringing it back." He stared rudely at Snowflake. "Don't you think it's odd?"

"Not at all!" Snowflake barked happily. "Sparkle's my *best* friend."

Rocky glared at him. "Cats and dogs aren't *meant* to be friends," he pointed out. "You should be barking and growling nič neprevrhla ako Sniežko. Hviezdička sa vždy pohybovala rýchlo a svižne.

Bola veľmi pekné mačiatko s hustou strakatou srsťou. Svoju malú bielu náprsenku a svoje štyri biele labky si udržiavala vo veľkej čistote, hoci sa strašne rada naháňala a hrala v záhrade.

„*Teda!* Nikdy predtým som nič *také* nevidel!"

Sniežko vyskočil a takmer zakopol o svoje labky. *Kto to povedal?* Rozhliadal sa dookola.

Rocky, starý ryšavý kocúr zo susedstva, trónil na plote. Vyzeral znechutene. „Mačka, ktorá si myslí, že je pes!" pokračoval Rocky, uprene hľadiac na Hviezdičku, ktorá naháňala loptu. „Kam sa to len ten svet uberá?"

„Ahoj, Rocky," zabrechal Sniežko vrtiac svojím mäkučkým chvostom. Skôr sa však bál ufrflaného starého kocúra.

„To nie je správne," šomral Rocky. „Ty si pes, preto by si sa *ty* mal naháňať za loptou a prinášať ju späť." Zachmúrene hľadel na Hviezdičku. „Nezdá sa ti to čudné?"

„Vôbec nie!" zabrechal Sniežko veselo. „Hviezdička je moja *najlepšia* priateľka."

Rocky naňho zagánil. „Mačky a psy *nemajú* čo byť priateľmi," poznamenal. „Ty by si mal na nás brechať a vrčať

and chasing after us." Rocky bared his teeth at Snowflake. "Go on, chase me!"

Snowflake didn't fancy that at all. He'd seen Rocky standing up to other dogs in the street. They usually ran off howling, after the cat had scratched them on the nose. "No, thank you," Snowflake woofed politely.

"In my day, cats were cats and dogs were dogs," Rocky went on grumpily.

"Well, I think Sparkle is *great*," Snowflake barked, sticking up for his friend. But Rocky just looked even more grumpy.

"Hello, Rocky." Sparkle trotted towards them. "Did you see me chase the ball?"

"Yes, I did!" Rocky spat. "You'd never catch *me* running after a ball like that!"

"Why?" Sparkle was puzzled.

Rocky's whiskers twitched with anger. "Because I like being a cat, not a dog," he hissed. "Cats are good at different things, like climbing trees and jumping off fences. We chase *mice*, not balls." He looked down snootily at Snowflake. "I could *never* be friends with a dog."

The ginger tom jumped down from the fence into next door's garden, landing neatly on his paws. Then he stalked off, the tip of his tail waving crossly.

a naháňať nás." Rocky vyceril zuby na Sniežka. „No tak, naháňaj ma!"

Sniežko na to vôbec nemal chuť. Videl Rockyho, keď sa postavil proti iným psom na ulici. Zvyčajne utiekli zavýjajúc, keď ich kocúr poškriabal na nose.

„Nie, vďaka," zabrechal Sniežko zdvorilo.

„Za mojich čias mačky boli mačkami a psy boli psami," hundral ďalej Rocky.

„Nuž, ja si myslím, že Hviezdička je *úžasná*," zabrechal Sniežko a zastal sa svojej priateľky. No Rocky vyzeral ešte zachmúrenejšie.

„Ahoj, Rocky," Hviezdička cupkala smerom k nemu. „Videl si ma naháňať loptu?"

„Áno!" vyprskol. „Nikdy *ma* nechytíš, keď sa budeš takto naháňať za loptou!"

„Prečo?" Hviezdička bola zmätená.

Rockymu sa fúzy zježili od hnevu. „Pretože ja som rád kocúrom, a nie psom," zaprskal. „Mačky ovládajú iné veci, napríklad liezť na stromy a skákať z plotov. My naháňame *myši*, nie lopty." Pohŕdavo pozrel cez plece na Sniežka. „*Nikdy* by som sa nemohol priateliť so psom."

Ryšavý kocúr zoskočil z plota do susednej záhrady a šikovne pristál na labkách. Potom sa dôstojne vzdialil, pričom sa mu koniec chvosta zlostne vlnil.

Sparkle stared after him.

"What a miserable old puss!" the kitten mewed. "I'm glad he's not *my* best friend!" And she nuzzled Snowflake's ear.

"Look, Ben's throwing the ball for you again," Snowflake barked.

"Come and play with us, Snowflake," purred Sparkle. Playfully, she nudged one of his big, floppy paws with her pink nose. "I promise I'll give you a chance to get the ball first."

But before the puppy could bark a reply, Sparkle suddenly froze. "Wait a minute," she mewed. "I can hear someone opening *our* gate. Someone's coming up *our* front garden path. Right, let's see exactly who this person is!"

"Sparkle, come back!" Snowflake woofed.

But the kitten took no notice. She ran over to the side gate and wriggled underneath it into the front garden. The visitor was a man in a blue jacket. He was carrying a bundle of letters.

"Aha!" Sparkle mewed. "I knew I'd heard someone!" She planted herself right in the middle of the path, blocking the man's way.

The postman didn't notice Sparkle at first because he was too busy looking through the pile of letters in his hand.

Hviezdička za ním uprene hľadela.

„Aký odporný starý kocúr!" zamňaukala mačička. „Som šťastná, že nie je *mojím* najlepším priateľom!" A pritisla sa ňufáčikom k Sniežkovmu uchu.

„Pozri, Ben ti opäť hádže loptu," zaštekal Sniežko.

„Poď sa s nami zahrať, Sniežko," zapriadla Hviezdička. Žartovne ho štuchla svojím ružovým ňufáčikom do jednej z jeho veľkých mäkkých labiek. „Sľubujem, že ti dám príležitosť, aby si chytil loptu prvý."

No skôr ako mohlo šteniatko zabrechať odpoveď, Hviezdička odrazu stuhla. „Počkaj chvíľu," zamňaukala. „Počujem, ako niekto otvára *našu* bránu. Niekto prichádza po *našom* chodníku v záhrade pred domom. Dobre, pozrime sa, kto to vlastne je!"

„Hviezdička, vráť sa!" zabrechal Sniežko.

Ale mačiatko na to nedbalo. Bežalo k bočnej bráne a prešmyklo sa popod ňu do záhrady pred domom. Návštevníkom bol muž v modrom kabáte. Niesol kopu listov.

„Aha!" zamňaukala Hviezdička. „Vedela som, že niekoho počujem!" Usadila sa rovno v strede chodníka a zahatala mužovi cestu.

Poštár si najprv Hviezdičku nevšimol, lebo bol priveľmi zaneprázdnený prezeraním hromady listov, ktoré držal

But then he looked up. His eyes nearly popped out of his head when he saw the kitten glaring at him.

"You're that person who pushes things through the letterbox every morning," Sparkle mewed fiercely. Her fur bristled all over as she eyed the postman sternly. Sparkle knew that Ben's dad got really cross when he opened the ones called bills. She bared her teeth at the postman and hissed.

Just then the side gate swung open, and Ben and Snowflake came through.

"Sparkle, you're frightening the postman!" Snowflake woofed.

"Well!" The postman was scratching his head, looking dazed. "I've never been growled at by a *kitten* before. Dogs, yes. Cats, no."

"Sparkle thinks she's a dog," Ben laughed. "And you know what, Sparkle? You're even more doggy than Snowflake is!" Ben ruffled his puppy's ears fondly.

Sparkle purred loudly, feeling very pleased with herself. "Did you hear that, Snowflake?" she mewed. "Ben thinks I'm more like a dog than you are. Maybe I should learn to bark!"

She opened her mouth as wide as she could, but all that came out was a great big MIAOW.

v ruke. Potom zdvihol zrak. Oči mu išli vyskočiť z jamôk, keď zbadal mačiatko, ako naňho gáni.

„Ty si tá osoba, ktorá každé ráno strká veci do poštovej schránky," zúrivo zamňaukala Hviezdička. Srsť na celom tele sa jej naježila, keď si prísne premeriavala poštára. Hviezdička vedela, že Benov otec sa vždy poriadne nahneval, keď otvoril to, čo nazývali účty. Vycerila na poštára zuby a zaprskala.

Práve vtedy sa doširoka otvorila bočná brána a Ben so Sniežkom cez ňu prešli.

„Hviezdička, ty ľakáš poštára!" zabrechal Sniežko.

„Nuž!" Poštár sa škrabkal na hlave a vyzeral ako omámený. „Predtým na mňa nikdy nevrčalo *mača*. Psy áno. Mačky nie."

„Hviezdička si myslí, že je pes," usmial sa Ben. „A vieš ty čo, Hviezdička? Ty si dokonca oveľa havkovitejšia ako Sniežko!" Ben nežne roztrapatil šteniatku uši.

Hviezdička hlasno zapriadla, veľmi spokojná sama so sebou. „Počul si to, Sniežko?" zamňaukala. „Ben si myslí, že ja som viac psom ako ty. Možno by som sa mala naučiť brechať!"

Otvorila papuľku najväčšmi, ako vedela, ale jediné, čo zo seba dostala, bolo velikánske MŇAU.

"I think you'd better keep practising!" Snowflake woofed, giving his friend a lick on the nose. "Maybe I can teach you."

"That would be great!" Sparkle purred, as she ran through the side gate with Ben.

Ben turned. "Come on, Snowflake!" he called.

"Coming!" woofed Snowflake. But as he followed them, his tail dropped. He felt a bit miserable. He couldn't help wishing that he could be more like Sparkle. He knew Ben loved him, but sometimes Snowflake didn't feel like a *proper* dog at all.

„Myslím, že by si mala viac trénovať!" zabrechal Sniežko a oblizol svojej priateľke ňufáčik. „Možno by som ťa mohol učiť."

„To by bolo úžasné!" zapriadla Hviezdička, keď prebiehala bočnou bránou s Benom.

Ben sa otočil. „Pridaj, Sniežko!" zakričal.

„Už idem!" zabrechal Sniežko. No ako šiel za nimi, chvost mu ovisol. Cítil sa akosi biedne. Nevedel odolať túžbe, aby sa viac podobal Hviezdičke. Vedel, že Ben ho má rád, ale niekedy sa Sniežko vôbec necítil ako *pravý* pes.

# Chapter Two

"Do you want to share some of this,
Sparkle?" woofed Snowflake. He was
sitting in his basket in the warm kitchen,
chewing on a tasty biscuit. It was teatime,
and he and Sparkle had been playing in
the garden all afternoon.

"No, thanks." Sparkle's nose was
twitching madly. "I can smell something
*much* more exciting." And she stared up
at Ben, who was sitting at the kitchen
table eating his tea. Sparkle knew exactly
what it was. Tuna sandwiches!

Sparkle loved tuna. But Ben's mum
didn't like Ben feeding Sparkle and
Snowflake titbits while he was eating.
Sparkle fixed her big, green eyes on Ben.
She simply had to get some of that
delicious tuna ... Suddenly she had
a brilliant idea.

With a loud miaow, Sparkle lifted
herself up on her back legs, and sat down
with her front paws in the air.

Snowflake stopped chewing his biscuit
and stared. "What are you trying to do,
Sparkle?" he woofed.

# Druhá kapitola

„Nechceš si so mnou dať trochu z tohto, Hviezdička?" zabrechal Sniežko. Ležal vo svojom košíku v teplej kuchyni a žul chutný keksík. Bol čas olovrantu a s Hviezdičkou sa hrali celé popoludnie v záhrade.

„Nie, ďakujem." Hviezdičkin ňufáčik sa bláznivo chvel. „Cítim niečo *oveľa* vzrušujúcejšie." A uprene sa pozerala na Bena, ktorý sedel za kuchynským stolom a olovrantoval. Hviezdička presne vedela, čo to je! Tuniakové sendviče!

Hviezdička mala veľmi rada tuniaka. Ale Benovej mame sa nepáčilo, keď Ben kŕmil Hviezdičku a Sniežka maškrtami počas jedenia. Hviezdička uprela svoje veľké zelené oči na Bena. Jednoducho musela dostať trochu z toho chutného tuniaka ... Odrazu dostala vynikajúci nápad.

Hlasno mňaukajúc sa vystrela na zadných nohách a sadla si s prednými labkami vo vzduchu.

Sniežko prestal žuť svoj keksík a uprene sa pozeral. „Čo sa to pokúšaš robiť, Hviezdička?" zabrechal.

"Sit up and beg, like Ben tried to teach *you!*" Sparkle replied. She wobbled about a bit at first, but then she got her balance.

Snowflake watched, his large brown eyes full of surprise. *He* hadn't managed to sit up and beg yet. Every time he tried, he ended up rolling over on to his back.

"Ben!" Sparkle mewed proudly, patting her owner's leg with her paw. "Look at me!"

Ben glanced down. "Mum, look!" he cried. "Sparkle's learned to sit up and beg. Isn't she clever?" He laughed and slipped the kitten a little piece of tuna sandwich. Sparkle purred loudly as she munched it up.

Snowflake went back to chewing his biscuit. But somehow it didn't taste quite as good as it did before. Sparkle was *so* clever, he thought. Sometimes Snowflake wondered if Sparkle should have been a puppy – she was so much better at doggy things than he was. He would rather curl up in his basket for a snooze than chase balls and beg for food.

"Can I share your basket, please?" Sparkle trotted over, yawning. "I think I might have a little nap."

"Of course you can," Snowflake woofed,

„Sadni si a popros, tak ako sa *ta* to Ben pokúšal naučiť!" odpovedala Hviezdička. Najprv sa trochu zaknísala, no potom nadobudla rovnováhu.

Sniežko sa pozeral svojimi veľkými hnedými očami plnými prekvapenia. *Jemu* sa ešte nepodarilo sadnúť si a poprosiť. Vždy, keď sa o to pokúsil, skončilo sa to tak, že sa prevalil na chrbát.

„Ben!" zapriadla Hviezdička pyšne a pohladkala nohu svojho pána labkou. „Pozri sa na mňa!"

Ben sa chytro pozrel dolu. „Mami, pozri!" zvolal. „Hviezdička sa naučila sadnúť si a poprosiť. Nie je šikovná?" Usmial sa a strčil mačiatku kúsok tuniakového sendviča. Hviezdička nahlas zapriadla, len čo ho zjedla.

Sniežko šiel znovu žuť svoj keksík. No akosi mu nechutil tak ako predtým. Hviezdička je *taká* šikovná, pomyslel si. Niekedy si Sniežko lámal hlavu nad tým, či Hviezdička nemala byť šteniatkom – bola oveľa lepšia v psích veciach ako on. On by sa radšej zvinul do klbka vo svojom košíku a zdriemol si, ako by sa naháňal za loptami a prosil o jedlo.

„Môžem ísť k tebe do košíka, prosím?" pricupkala Hviezdička zívajúc. „Myslím, že by som si mohla trochu zdriemnuť."

„Pravdaže môžeš," zabrechal Sniežko

moving over to make room for the kitten. Sparkle had her own bed in the utility room, but she preferred sharing Snowflake's. It was much cosier with two of them.

Sparkle climbed in and gave herself a good wash all over. Then she snuggled down and curled up against Snowflake's warm, soft tummy.

"You're really clever, Sparkle," Snowflake went on. "I wish *I* could sit up and beg."

"I'll teach you." Sparkle yawned. "There's nothing to it ..."

But little by little, Sparkle's eyes began to close. And so did Snowflake's. The basket was near the radiator, and they were warm and cosy as they drifted off to sleep.

Sparkle woke up with a jump. She could hear the front door opening! She shot to her feet, blinking her green eyes, and leaped out of the basket. "Hold it right there!" she miaowed fiercely.

"What's the matter?" Snowflake woofed sleepily. He'd been having a lovely dream about burying a big, juicy bone.

"There's someone at the door." Sparkle ran over to the kitchen door, tail waving. "It'd better not be that man with the bills a posunul sa, aby urobil miesto pre mačiatko. Hviezdička mala svoju vlastnú posteľ v práčovni, ale dávala prednosť spoločnej posteli so Sniežkom. Dvom bolo oveľa útulnejšie.

Hviezdička vliezla dnu a dôkladne sa celá vyumývala. Potom sa uvelebila a zvinula sa do klbka k Sniežkovmu teplému, mäkkému brušku.

„Si naozaj šikovná, Hviezdička," pokračoval Sniežko. „Keby som sa tak *vedel* posadiť a poprosiť."

„Naučím ťa to," zívla Hviezdička. „To nič nie je ..."

No postupne sa začali Hviezdičke zatvárať oči. A Sniežkovi tiež. Košík bol blízko radiátora, a tak im bolo príjemne teplo, keď zaspávali.

Hviezdička sa vytrhla zo spánku. Počula, ako sa otvára hlavný vchod! V letku bola na nohách, zamrkala svojimi zelenými očami a vyskočila z košíka. „Zostaň na mieste!" zúrivo zamňaukala.

„Čo sa robí?" zahavkal ospanlivo Sniežko. Sníval sa mu príjemný sen, ako zahrabáva veľkú, šťavnatú kosť.

„Niekto je pri dverách." Hviezdička bežala ku kuchynským dverám vlniac chvostom. „Bolo by lepšie, keby to znovu

again. Or burglars. I'll soon chase them off." She bared her teeth and tried to look scary.

Snowflake yawned. "It might be Ben's dad, coming home from work," he woofed. But Sparkle had already dashed off down the hall.

Snowflake rolled over on his back, and had a good stretch. They'd been asleep for a little while, and it was getting dark outside. The kitchen was empty. Ben and his mum were probably in the living room, watching the box with the moving pictures.

Sparkle raced back in. "It was Ben's dad," she purred. "He says there's *snow* outside!"

"Snow!" Snowflake woofed, his tail beginning to wag madly. He jumped out of his basket, his paws skidding on the shiny floor.

"Yes, snow," Sparkle mewed, rubbing her head against Snowflake's front legs. "Isn't it great!"

"It's brilliant!" Snowflake agreed, giving the kitten a big lick on the nose.

They cocked their heads to one side, and looked at each other.

"I don't know what *snow* is," Sparkle mewed at last. "Do yo?"

"No." Snowflake's ears dropped. "But it sounds a bit like my name."

nebol ten muž s účtami. Alebo zlodeji. Chytro ich zaženiem." Vycerila zuby a pokúšala sa vyzerať odstrašujúco.

Sniežko zíval. „To asi bude Benov otec prichádzajúci domov z práce," zabrechal. Ale Hviezdička sa už hnala predsieňou.

Sniežko sa prevalil na chrbát a dobre sa povystieral. Spali len chvíľočku a vonku sa už začalo stmievať. Kuchyňa bola prázdna. Ben s mamou boli asi v obývačke a pozerali filmy v televízore.

Hviezdička sa behom vrátila naspäť. „Bol to Benov otec," zapriadla. „Hovorí, že vonku je *sneh!*"

„Sneh!" zabrechal Sniežko a začal bláznivo vrtieť chvostom. Vyskočil z košíka a labky sa mu pošmykli na vyleštenej dlážke.

„Áno, sneh," zamňaukala Hviezdička, otierajúc si hlavu o Sniežkove predné nohy. „Však je to úžasné!"

„Je to fantastické!" súhlasil Sniežko a poriadne oblizol mačiatku nos.

Naklonili hlavy nabok a pozreli sa jeden na druhého.

„Ja neviem, čo je *sneh*," zamňaukala nakoniec Hviezdička. „Ty vieš?"

„Nie." Sniežkovi ovisli uši. „Ale znie to tak trochu ako moje meno."

"It must be something good," Sparkle decided, "because Ben's really excited. I know! I'll look outside through my catflap."

The catflap was in the utility room, next to the kitchen. Sparkle padded over to the door, which led out into the back garden.

"Can I look too, Sparkle?" Snowflake barked politely. The kitten had told him lots of times that the catflap was for cats *only*.

"Well, all right," Sparkle agreed. "Just this once."

They peered through the clear window of the catflap. Their warm, furry bodies were pressed close together as they gazed outside. What they saw made their eyes open wide.

Enormous, white flakes were swirling down from the sky. They landed softly and thickly on the ground without making any noise at all. Everything in the garden was covered with a white coat, which glittered in the moonlight. It looked like a different world.

"Wow!" woofed Snowflake quietly. "I wonder what snow *feels* like."

Sparkle stared longingly through the catflap. "It looks soft, like the blanket in your basket, doesn't it? Let's go and find out!" She gave the catflap a push with her

„To musí byť niečo dobré," rozhodla Hviezdička, „lebo Ben je veľmi vzrušený. Už to mám! Pozriem sa von cez svoje mačacie dvierka."

Mačacie dvierka boli v práčovni vedľa kuchyne. Hviezdička podišla k dverám, ktoré viedli do záhrady za domom.

„Môžem sa pozrieť aj ja, Hviezdička?" zdvorilo zahavkal Sniežko. Mačiatko mu už veľa ráz povedalo, že mačacie dvierka sú *len* pre mačky.

„No dobre," súhlasila Hviezdička. „Iba tentoraz."

Zvedavo hľadeli cez priesvitné okno na mačacích dvierkach. Ich teplé chlpaté telá boli pritlačené k sebe, keď zízali von. To, čo videli, im doširoka roztvorilo oči.

Z oblohy padali obrovské biele vločky. Mäkko a husto dopadali na zem, nerobili pri tom nijaký hluk. Všetko v záhrade bolo pokryté bielym plášťom, ktorý sa trblietal v mesačnom svite. Vyzeralo to ako v inom svete.

„Páni!" zahavkal potichu Sniežko. „Som zvedavý, aký *je* sneh."

Hviezdička túžobne hľadela cez mačacie dvierka. „Zdá sa mäkký ako deka v tvojom košíku, však? Poďme to preskúmať!" Strčila do mačacích dvierok labkou,

paw, but she wasn't strong enough yet to open it on her own. "Help me, Snowflake."

"I don't think I want to go outside," Snowflake whined. The snow looked beautiful, but it also looked wet and cold. He shivered in the icy draught that was blowing under the back door.

"Hey, what are you two doing?" Ben had popped his head round the door of the utility room and spotted what the puppy and the kitten were up to. He came in and picked Sparkle up, then carried her back into the kitchen.

Snowflake trotted after them.

"You can't go outside tonight," Ben went on, closing the door of the utility room firmly. "It's much too cold. And Sparkle, you can sleep in the kitchen with Snowflake. It's nice and warm in here."

"But I want to see the snow!" Sparkle yowled crossly, as Ben put her gently in the basket and went out of the kitchen again.

"Maybe Ben will take us outside tomorrow," Snowflake woofed. He was quite happy to stay inside, all safe and warm.

"I don't want to wait till tomorrow," Sparkle whimpered, clawing crossly at the blanket. "I want to see the snow NOW!"

"Go to sleep, Sparkle," Snowflake yawned.

no ešte nebola dosť silná, aby ich otvorila sama. „Pomôž mi, Sniežko."

„Myslím, že sa mi nechce ísť von," zavyl Sniežko. Sneh vyzeral nádherný, ale aj mokrý a studený. Sniežko sa triasol v ľadovom prievane, ktorý prefukoval pod zadnými dverami.

„Hej, čo vy dvaja robíte?" Ben strčil hlavu do dverí práčovne a zbadal, čo sa šteniatko a mačiatko chystajú urobiť. Vošiel dnu a zdvihol Hviezdičku, potom ju odniesol naspäť do kuchyne.

Sniežko cupkal za nimi.

„Dnes večer nemôžete ísť von," pokračoval Ben a pevne zatvoril dvere na práčovni. „Je priveľká zima. A ty, Hviezdička, môžeš spať v kuchyni so Sniežkom. Je tu príjemne teplo."

„Ale ja chcem vidieť sneh!" zamraučala Hviezdička zlostne, keď ju Ben jemne uložil do košíka a opäť vyšiel z kuchyne.

„Možno nás Ben vezme von zajtra," zahavkal Sniežko. Celkom rád zostal dnu, v úplnom bezpečí a v teple.

„Je nechcem čakať do zajtra," zakňučala Hviezdička a zlostne driapala deku. „Chcem vidieť sneh TERAZ!"

„Spi už, Hviezdička," zívol Sniežko.

"I can't go to sleep!" Sparkle mewed. "I'm much too excited." But she curled up next to Snowflake anyway.

Snowflake dozed off dreaming of soft clouds of snow.

„Nemôžem zaspať!" zamňaukala Hviezdička. „Som priveľmi vzrušená." No predsa sa zvinula do klbka pri Sniežkovi.

Sniežko si zdriemol, snívajúc o mäkkých obláčikoch snehu.

# Chapter Three

Snowflake had been fast asleep, but suddenly he woke up with a jump.

The house was silent and dark. Ben and his mum and dad must have gone to bed, he decided.

He shivered. The kitchen felt cold, which was strange. It usually stayed warm and cosy all night. Suddenly, Snowflake realised that Sparkle wasn't curled up in the basket next to him.

"Sparkle?" Snowflake woofed quietly. He didn't want to wake up Ben and his mum and dad. "Where are you?"

There was no answer. Puzzled, Snowflake sat up and looked around the kitchen. Although it was night-time, the pale moonlight shining in at the window made it easy to see. But there was no sign of Sparkle.

Snowflake began to feel worried. Where *had* his friend got to? Snowflake's ears went back and he whined as he remembered what Sparkle had said. *I want to go out and see the snow.* Snowflake hadn't really

# Tretia kapitola

Sniežko tvrdo spal, no odrazu sa strhol
a prebudil.

V dome bolo ticho a tma. Ben so svojou
mamou a otcom určite išli spať,
usúdil.

Striaslo ho. V kuchyni bolo zima, čo
bolo čudné. Zvyčajne v nej bývalo teplo
a príjemne celú noc. Odrazu si Sniežko
uvedomil, že Hviezdička neleží zvinutá do
klbka pri ňom v košíku.

„Hviezdička?" zahavkal Sniežko potichu.
Nechcel zobudiť Bena, jeho mamu a otca.
„Kde si?"

Nikto mu neodpovedal. Zmätený sa
posadil a rozhliadal sa po kuchyni. Hoci
bola noc, vďaka slabému mesačnému
svetlu presvitajúcemu cez okno sa dalo
dobre vidieť. Ale po Hviezdičke nebolo ani
stopy.

Sniežko sa začal obávať. Kam sa
*podela* jeho priateľka? Sniežkovi ovisli
uši a zavyl, keď si spomenul, čo
Hviezdička povedala. *Chcem ísť von
pozrieť sa na sneh.* Vtedy si to Sniežko

taken much notice at the time. After all, there was no way Sparkle could get outside.

Snowflake looked at the utility room door. It was still closed. So was the kitchen door. So Sparkle had to be in the kitchen *somewhere*.

Maybe he should go and wake Ben up, Snowflake thought. But Ben would be cross if he thought that Sparkle had gone out in the snow. Sparkle would get into trouble.

"I know!" Snowflake leaped eagerly out of his basket. "I'll find Sparkle myself, just like a *proper* dog would!"

He began to sniff the kitchen floor. Carefully, he sniffed all round the basket, trying to work out which way Sparkle had gone. There were lots of Sparkle smells around, but Snowflake was looking for the newest and strongest smell.

He found it! His black nose to the floor, Snowflake set off across the kitchen. He followed the trail right across the room, until – BUMP! Snowflake was so busy sniffing, he banged right into the cupboard under the sink.

"Ouch!" Snowflake sat down on his bottom, surprised. Surely Sparkle wasn't *inside* the cupboard? No, she wasn't tall enough to open the door. So where was she?

Snowflake snuffled around the bottom

naozaj veľmi nevšímal. Napokon, Hviezdička sa nemohla dostať von.

Sniežko sa pozrel na dvere práčovne. Stále boli zatvorené. Rovnako aj dvere na kuchyni. Takže Hviezdička musela byť *niekde* v kuchyni.

Asi by mal ísť zobudiť Bena, pomyslel si Sniežko. No Ben by sa nahneval, keby zistil, že Hviezdička vyšla von do snehu. Hviezdička by sa dostala do problémov.

„Už to mám!" Sniežko nedočkavo vyskočil z košíka. „Nájdem Hviezdičku sám, tak ako by to urobil *naozajstný* pes!"

Začal ňuchať kuchynskú dlážku. Dôkladne ňuchal okolo celého košíka, pokúšajúc sa zistiť, kadiaľ Hviezdička išla. Bolo tam veľa Hviezdičkiných pachov, ale Sniežko hľadal ten najčerstvejší a najsilnejší.

A našiel ho! Čiernym ňufáčikom pritlačeným k dlážke sa Sniežko vydal naprieč kuchyňou. Išiel po stope rovno cez miestnosť, až tu – BUM! Sniežko bol taký zaujatý ňuchaním, že narazil rovno do skrinky pod drezom.

„Juj!" prekvapený Sniežko sa posadil na zadoček. Hádam len Hviezdička nebola *vnútri* skrinky? Nie, nebola dosť vysoká na to, aby otvorila dvere. Tak kde bola?

Sniežko ňuchal okolo spodku skrinky,

of the cupboard, and around the vegetable rack next to it. But he couldn't tell which way Sparkle had gone.

"Sparkle, where *are* you?" Snowflake whimpered. He was shivering all over. The kitchen was freezing, and seemed to be getting colder every minute.

Snowflake lifted his head. He sniffed hard, his nose twitching. He could smell crisp, frosty air coming from outside – as if someone had left the window open.

Snowflake stood up on his back legs and rested his front paws on the cupboard. He could see the window over the sink – and it *was* open, just a little. Snowflake had heard Ben's mum saying that the lock didn't work properly. Ben's dad had promised to fix it, but he hadn't got round to it yet.

Snowflake stared at the open window. Snow had settled on the windowsill, and he could just make out some tiny paw prints. The kitten must have climbed up the vegetable rack, on to the sink, and then wriggled out of the window!

Snowflake was tired and cold. He longed to climb into his basket, snuggle under his blanket and go back to sleep. But he was too worried about Sparkle. What was happening to her, out there alone, in the deep snow?

aj okolo regála na zeleninu hneď
vedľa. Ale nevedel, kadiaľ Hviezdička
išla.

„Hviezdička, kde *si?*" zaskučal Sniežko.
Celý sa chvel. V kuchyni bola hrozná zima
a zdalo sa, že každou minútou sa ešte viac
ochladzuje.

Sniežko zdvihol hlavu. Silno vetril
a ňufáčik sa mu chvel. Cítil ostrý, ľadový
vzduch prichádzajúci zvonku – akoby
niekto nechal otvorené okno.

Sniežko sa postavil na zadné nohy
a predné labky položil na skrinku.
Ponad drez videl na okno – a *bolo*
otvorené, iba máličko. Sniežko počul
Benovu mamu, keď hovorila, že zámka
dobre nefunguje. Benov otec sľúbil,
že ju opraví, no ešte sa k tomu
nedostal.

Sniežko uprene hľadel na otvorené
okno. Sneh sa usadil na okennú rímsu
a on rozoznal iba niekoľko maličkých stôp
po labkách. Mačiatko sa muselo vyšplhať
na zeleninový regál, na drez a potom
vykĺznuť von oknom!

Sniežko bol unavený a bolo mu zima.
Túžil vliezť do svojho košíka, stúliť sa pod
deku a znovu zaspať. No veľmi sa
o Hviezdičku bál. Čo sa jej len stalo,
samej tam vonku, v hlbokom snehu?

"I'll just have to go into the garden and look for Sparkle myself," Snowflake woofed firmly. "But how I am going to get out?"

The puppy put his paw on the vegetable rack. It started to tip over. Suddenly, it shot away from him on its little wheels and crashed on to its side. Potatoes and carrots spilled out and tumbled across the floor.

Snowflake yelped and jumped away from the bouncing vegetables. "Well, I can't climb up that way," he thought. "And I can't jump high enough to get on to the sink. I'll have to find another way out!"

„Budem teda musieť ísť do záhrady a Hviezdičku pohľadať sám," zabrechal Sniežko odhodlane. „No ako sa len dostanem von?"

Šteniatko položilo labku na zeleninový regál. Ten sa začal nakláňať. Vtom sa na svojich malých kolieskach od neho prudko vzdialil a zvalil sa na bok. Zemiaky a mrkva sa vysypali a rozkotúľali sa po celej dlážke.

Sniežko brechal a uskakoval pred valiacou sa zeleninou. „Nuž, takto sa tam nevyšplhám," pomyslel si. „A neviem vyskočiť dosť vysoko, aby som sa dostal k drezu. Musím nájsť iný spôsob!"

# Chapter Four

Snowflake sat down on the kitchen floor
and scratched his ear while he thought
about it. "There's only one way I can get
outside," he decided. "I'll have to squeeze
through Sparkle's catflap!"

This wasn't going to be easy. Snowflake
looked at the door of the utility room.
It was firmly shut. He had to open it to
reach the catflap in the back door.
But how?

Snowflake knew how the door opened.
He'd seen Ben do it lots of times. You
pushed down on the silver handle, and
then the door swung open. Snowflake
trotted over to the door and gazed at it.
He stood on his back legs and stretched
his paw up to the handle. But he couldn't
quite reach it.

"I'll have to *jump* up," he thought. "But
I'm no good at jumping!"

He had to try, though.
For Sparkle ...

Snowflake jumped up into the air as
high as he could. But he missed the

# Štvrtá kapitola

Sniežko si sadol na kuchynskú dlážku
a škrabkal si ucho, kým o tom premýšľal.
„Je len jeden spôsob, ako sa môžem dostať
von," rozhodol sa. „Musím sa prešmyknúť
cez Hviezdičkine mačacie dvierka!"

To však nevyzeralo ľahké. Sniežko sa
pozrel na dvere práčovne. Boli pevne
zatvorené. Musel ich otvoriť, aby sa dostal
k mačacím dvierkam na zadných dverách.
Ale ako?

Sniežko vedel, ako sa dvere otvárajú.
Veľa ráz videl, ako to Ben robí. Stlačíš
striebornú kľučku a potom sa dvere
doširoka otvoria. Sniežko pricupkal
k dverám a civel na ne.
Postavil sa na zadné nohy a natiahol
labku ku kľučke. Nemohol ju však úplne
dočiahnuť.

„Budem musieť *vyskočiť*," pomyslel si.
„Ale skákanie mi nejde!"

Napriek tomu to musel vyskúšať.
Pre Hviezdičku ...

Sniežko vyskočil do vzduchu tak
vysoko, ako vedel. No zďaleka

handle by miles, and landed on the floor again with a soft thud.

"Try again," Snowlflake woofed to himself. So he did. But he missed it again.

"Grr!" Snowflake was getting cross. He bared his teeth and glared at the door. "Let me out!"

He fixed his eyes on the door and leaped into the air again. This time Snowflake's paw hit the handle hard. The door swung open.

"I did it!" Snowflake barked excitedly. Then he remembered that Ben and his mum and dad were asleep upstairs.

He hurried over to the catflap. He pushed it with his paw, and was pleased when it swung outwards. "*Sparkle* can't open the flap on her own," Snowflake thought proudly, "but I can!"

Snowflake nudged it open with his nose, like he'd seen Rocky doing next door. He stuck his head through and looked outside. The snow had almost stopped falling. There were just a few flakes still drifting down. The night air was freezing, and it made his ears tingle. But Snowflake wasn't giving up now.

He still felt a bit nervous about using the catflap, though. After all, it was supposed to be for *cats*, as Sparkle kept

kľučku minul a opäť mäkko pristál
na dlážke.

„Skúsim to znovu," zabrechal Sniežko
sám pre seba. A tak aj urobil. No opäť
netrafil.

„Vŕŕŕ!" Sniežko začal byť namosúrený.
Vyceril zuby a zagánil na dvere.
„Pusťte ma von!"

Uprel zrak na dvere a znovu vyskočil
do vzduchu. Tentoraz Sniežkova labka
pevne stlačila kľučku. Dvere sa doširoka
otvorili.

„Dokázal som to!" zabrechal vzrušene
Sniežko. Potom si spomenul, že Ben, jeho
mama a otec spia na hornom poschodí.

Ponáhľal sa k mačacím dvierkam. Strčil
do nich labkou a zaradoval sa, keď sa
otočili smerom von. „*Hviezdička* nevie
sama otvoriť dvierka," pomyslel si pyšne,
„ale ja áno!"

Sniežko ich otvoril ňufáčikom tak,
ako to videl robiť Rockyho u susedov.
Prestrčil cez ne hlavu a pozrel von.
Sneh už takmer prestal padať.
Vznášalo sa iba zopár vločiek.
Nočný vzduch bol mrazivý a mrzli mu
z neho uši. Ale Sniežko sa už
nevzdával.

No stále bol trochu nervózny z toho, že
má použiť mačacie dvierka. Veď dvierka
boli pre *mačky*, ako mu to Hviezdička

telling him. "But Sparkle behaves like a dog most of the time!" Snowflake woofed quietly to himself. "So why can't I pretend to be a *cat* just once?"

Snowflake began to climb through the flap. It was a bit of a squeeze, but Snowflake managed it. "I did it!" he panted, as he wriggled his back legs out. "I did it! *Oh*!"

He flopped through the catflap – and landed in a deep snowdrift. Only his nose and tail were left sticking out.

"Help!" Snowflake yelped. The snow felt very strange. It was soft, like his blanket. But it was crisp and crunchy too, like one of his biscuits!

He scrambled out and shook himself. He was a bit wet and cold, but the snow was fun. It was so soft and fluffy that it was really easy to dig. Snowflake wanted to dig a big hole, but he didn't have time. He had to find Sparkle.

He looked around and spotted a clear trail of kitten paw prints. They led away from the kitchen window, down the garden. "This is easy!" Snowflake woofed. "All I have to do is follow the trail!"

Snowflake set off. The paw prints went down one side of the garden and back up the other, ending at the side gate near the house. The gap underneath the wooden neustále pripomínala. „No Hviezdička sa väčšinou správa ako pes!" Sniežko ticho zabrechal pre seba. „Tak prečo aspoň raz nemôžem predstierať, že som *mačka?*"

Sniežko začal liezť cez dvierka. Musel sa poriadne stlačiť, ale podarilo sa mu to. „Zvládol som to!" zafučal, len čo vykĺzol zadnými nohami von.

„Zvládol som to! *Ach!*"

Prepchal sa cez mačacie dvierka – a pristál v hlbokom záveji. Len nos a chvost mu z neho zostali trčať.

„Pomoc!" zabrechal Sniežko. Sneh bol na dotyk veľmi zvláštny. Bol mäkký ako jeho deka. Ale bol aj sypký a krehký ako jeden z jeho keksíkov!

Vyhrabal sa z neho a otriasol sa. Bol trochu mokrý a bolo mu chladno, ale so snehom bola zábava. Bol taký mäkký a kyprý, že bolo naozaj ľahké doň ryť. Sniežko chcel vyhrabať veľkú dieru, ale nemal čas. Musel nájsť Hviezdičku.

Rozhliadol sa a zbadal zreteľnú cestičku stôp po mačacích labkách. Viedli od kuchynského okna cez záhradu. „To je ľahké!" zabrechal Sniežko. „Jediné, čo musím urobiť, je ísť po stope!"

Sniežko vyštartoval. Stopy po labkách viedli dolu jednou stranou záhrady a hromadili sa na druhej strane, končiac pri bočnej bráne blízko domu. Medzera

gate was blocked with snow. But Snowflake could see that a small hole had been dug away in the middle.

He felt very worried. Ben didn't like them going into the front garden without him, because of the traffic in the street. He just hoped Sparkle was all right.

Snowflake had to dig a bigger hole with his front paws before he could squeeze under the gate. Then he set off again, following Sparkle's trail. Down the path, through the open gate, along the street, into next door's front garden and up to *their* side gate.

"Good job I didn't eat too many biscuits yesterday!" Snowflake thought, wriggling through the iron bars of the gate.

The paw prints went on, down next door's garden. His nose to the ground, Snowflake followed them across the snowy lawn, until – "OOPS!" Snowflake stopped on the edge of a small pond. At least, Snowflake *thought* it was a pond. But the water looked all wrong. It was white and shiny and *hard*. And it was dusted with glittering snow.

Snowflake put out his paw and tapped on the pond. It felt very slippery and it creaked a bit. Snowflake didn't think it was safe to walk on. But he could see that Sparkle *had* walked across it. There were pod drevenou bránou bola zahataná snehom. Ale Sniežko videl, že uprostred bola vyhrabaná malá diera.

Bol veľmi ustarostený. Benovi sa nepáčilo, keď bez neho chodievali do záhrady pred domom, pre premávku na ulici. Iba dúfal, že Hviezdička je v poriadku.

Sniežko musel svojimi prednými labkami vyhrabať väčšiu dieru, skôr ako sa prepchal popod bránu. Potom znovu vyrazil, sledujúc Hviezdičkinu stopu. Po chodníku, cez otvorenú bránu, po ulici, do susednej záhrady pred domom až k *ich* bočnej bráne.

„Ako dobre, že som včera nezjedol priveľa keksíkov!" pomyslel si Sniežko, keď prekĺzal pomedzi železné žŕdky brány.

Stopy po labkách viedli ďalej, do susednej záhrady. S ňufáčikom pri zemi ich Sniežko sledoval po zasneženom trávniku, až tu – UPS! Sniežko sa zastavil na okraji malého rybníka. Sniežko si aspoň *myslel*, že je to rybník. No zdalo sa, že s vodou nie je všetko v poriadku. Bola biela, lesklá a *tvrdá*. A bola poprášená trblietavým snehom.

Sniežko vystrčil labku a poklepkal na rybník. Na dotyk bol veľmi klzký a trochu zapraskal. Sniežko si pomyslel, že nie je bezpečné po ňom ísť. Ale videl, že Hviezdička po ňom *prešla*. Maličké stopy

tiny kitten paw prints leading right into
the middle of the pond, where there was
a big jagged hole. Snowflake could see the
dark water underneath.

He suddenly felt very scared. Had
Sparkle fallen into the pond?

A noise from behind him made
Snowflake jump. He looked round,
and saw Rocky climbing out of his catflap.

"Oi!" The ginger tom looked furious
when he spotted the puppy. "What are you
doing in *my* garden?" He hissed and arched
his back. "You'd better get out of here!"

"No, I won't!" Snowflake growled. He
was so worried about Sparkle, he forgot
how fierce Rocky could be. "I'm looking for
my best friend, and you're not going to
stop me!" And Snowflake snarled at him,
showing all his teeth. The hair stood up
on the back of his neck.

Rocky was so shocked, he turned round
and dived back through his catflap. It
slammed shut behind him, nearly nipping
his tail.

Snowflake hurried round the pond. To
his relief, the little paw prints began again
on the other side of the hole. Sparkle
must have managed to climb out of the
water.

Snowflake set off again, nose to the
ground. Sparkle's trail went right to the

po labkách mačiatka viedli rovno
do stredu rybníka, kde bola veľká
nepravidelná diera. Sniežko videl dolu
temnú vodu.

Zrazu bol veľmi vystrašený. Nespadla
Hviezdička do rybníka?

Sniežka vyľakal akýsi hluk zozadu.
Rozhliadol sa a zazrel Rockyho, ako
vylieza zo svojich mačacích dvierok.

„Uch!" Ryšavý kocúr vyzeral nazúrene,
keď zbadal šteniatko. „Čo robíš v *mojej*
záhrade?" Zaprskal a zježil chrbát.
„Radšej by si mal odtiaľto zmiznúť!"

„Nie, nezmiznem!" zavrčal Sniežko. Tak
veľmi sa bál o Hviezdičku, že zabudol, aký
zúrivý môže byť Rocky. „Hľadám svoju
najlepšiu priateľku a ty ma v tom
nezastavíš!" A Sniežko naňho hrozivo
zavrčal, vyceriac všetky zuby. Chlpy vzadu
na krku sa mu naježili.

Rocky bol taký šokovaný, že sa zvrtol
a zmizol vo svojich mačacích dvierkach.
Tie sa za ním zabuchli a takmer mu
privreli chvost.

Sniežko sa ponáhľal okolo rybníka.
Uľavilo sa mu, keď sa malé stopy po
labkách opäť začínali na druhej strane
diery. Hviezdičke sa určite podarilo vyliezť
z vody.

Sniežko znovu vyštartoval, ňufáčik
pritlačený k zemi. Hviezdičkina stopa

bottom of the garden, and through a gap in the fence. Snowflake squeezed through too. Then, to his surprise, he saw *another* set of paw prints in the snow. They were a lot bigger than Sparkle's. "I wonder what kind of animal *that* is?" Snowflake woofed. He lifted his head, and looked around.

He realised that he was back in his own garden. He had been looking at his *own* paw prints! They were the ones he'd made earlier, when he'd followed Sparkle's trail across their lawn.

Snowflake shivered miserably.

He was right back where he'd started.

And there was still no sign of Sparkle.

viedla až na koniec záhrady a cez dieru
v plote. Aj Sniežko sa cez ňu prešmykol.
Potom na svoje prekvapenie uvidel
v snehu *inú* skupinku stôp po labkách.
Boli o niečo väčšie ako Hviezdičkine.
„Rád by som vedel, čo je *to* za zviera?"
zabrechal Sniežko. Zdvihol hlavu
a rozhliadal sa.

Uvedomil si, že je znovu vo svojej
vlastnej záhrade. Hľadel na stopy svojich
*vlastných* labiek! Boli to tie, ktoré urobil
predtým, keď sledoval Hviezdičkinu stopu
naprieč ich trávnikom.

Sniežka striaslo od zúfalstva.

Bol presne tam, kde začal.

A po Hviezdičke stále nebolo ani stopy.

# Chapter Five

Snowflake didn't know *what* to do next. He was cold and tired, and Sparkle was nowhere to be seen. "Oh, Sparkle," he whimpered softly. "Where *are* you?"

*What was that?* Snowflake thought he'd heard a faint mew.

"*Miaow!*"

There it was again, a bit louder this time. Snowflake looked round eagerly. His tail began to wag. "Is that you, Sparkle?" he barked. "Where are you?"

"I'm up here!" yowled a very miserable kitten voice.

Snowflake looked up. There, in the bottom branches of a tall tree, sat a wet and unhappy Sparkle.

"*Sparkle!*" Snowflake bounded over to the tree, his tail almost wagging right off. "I've been so worried about you! Why are you up *there*?"

"I was trying to escape from Rocky," Sparkle explained, shivering. "He chased me out of his garden, and he scratched my ear!"

# Piata kapitola

Sniežko nevedel, *čo* robiť ďalej.
Bolo mu zima, bol unavený a Hviezdičku
nebolo nikde vidieť. „Ach, Hviezdička,"
zakňučal tíško. „Kde *si?*"

„*Čo to bolo?*" Sniežkovi sa zdalo,
že počul slabé zamňaukanie.

„*Mňau!*"

A znovu, tentoraz o niečo hlasnejšie.
Sniežko sa nedočkavo rozhliadal. Chvost
sa mu začal chvieť. „Si to ty, Hviezdička?"
zabrechal. „Kde si?"

„Som tu hore!" zamraučal veľmi smutný
mačací hlások.

Sniežko sa pozrel hore. Na spodných
vetvách vysokého stromu sedela mokrá
a nešťastná Hviezdička.

„*Hviezdička!*" Sniežko zamieril k stromu
a takmer v okamihu vrtel chvostom.
„Tak som sa o teba bál! Prečo si *tam*
hore?"

„Pokúšala som sa uniknúť pred
Rockym," vysvetľovala trasúca sa
Hviezdička. „Vyhnal ma zo svojej záhrady
a pošriabal mi ucho!"

"The big bully!" Snowflake growled. "Don't worry, Sparkle. I chased *him* away!"

"And I fell into the pond and got wet," Sparkle wailed. "I can't get back into the house because I can't reach the window. And I can't open the catflap on my own."

"I'll help you open the catflap," Snowflake woofed. "You need to go indoors and warm up."

"But I don't think I can get down from this tree!" Sparkle mewed. "I'm scared I'll fall."

"I'll help you." Snowflake looked up at the kitten. "Put your paw on that branch just below you."

Sparkle did as she was told. She wobbled, but she didn't fall. Step by step, she began to make her way slowly down the tree. Snowflake watched anxiously. As soon as Sparkle jumped down on to the snow-covered lawn, he rushed over to her.

"I'm freezing!" Sparkle mewed, pressing herself against her friend's warm, furry body. "I *hate* the snow!" She let Snowflake give her a few quick licks to warm her up. Then they set off up the garden path to the back door. Sparkle couldn't wait to get out of the freezing cold, and be warm and dry again.

„Ten hnusný lotor!" zabrechal Sniežko. „Neboj sa, Hviezdička. Už som *ho* zahnal!"

„A spadla som do rybníka a premočila som sa," bedákala Hviezdička. „Nemôžem sa vrátiť do domu, lebo nedočiahnem na okno. A sama neviem otvoriť mačacie dvierka."

„Pomôžem ti otvoriť mačacie dvierka," zahavkal Sniežko. „Musíš ísť dnu zohriať sa."

„No asi nezleziem z tohto stromu!" zamňaukala Hviezdička. „Bojím sa, že spadnem."

„Pomôžem ti." Sniežko sa pozrel na mačiatko. „Polož labku na tú vetvu tesne pod tebou."

Hviezdička urobila, ako jej povedal. Zaknísala sa, ale nespadla. Krok za krokom začala pomaly schádzať zo stromu. Sniežko ju s obavou sledoval. Len čo Hviezdička zoskočila na zasnežený trávnik, rozbehol sa k nej.

„Som premrznutá!" zamňaukala Hviezdička, pritískajúc sa k teplému, chlpatému telu svojho priateľa. „*Nenávidím* sneh!" Dovolila Sniežkovi, aby ju narýchlo pooblizoval a tak ju zahrial. Potom sa obaja vydali po záhradnom chodníku k zadným dverám. Hviezdička sa nemohla dočkať, kým sa zbaví mrazivého chladu a bude opäť v teple a suchu.

"Jump inside," Snowflake told Sparkle, pushing the catflap open with his paw.

"I'm so glad *you* can open the catflap on your own, Snowflake," Sparkle mewed weakly as she climbed in.

"Well, I won't use it again," Snowflake woofed. He hoped Sparkle didn't mind him using her catflap just this once. "I know it's for cats, really!"

Sparkle wasn't listening. She rushed gratefully into the kitchen and over to the puppy's basket.

Snowflake picked up the blanket with his teeth, so that she could creep underneath it. Then he snuggled down next to her.

"You feel all nice and cuddly and warm, Snowflake," Sparkle mewed sleepily. "I'm *so* glad to be home again."

„Skoč dnu!" povedal Sniežko Hviezdičke a otvoril labkou mačacie dvierka.

„Som taká šťastná, že *vieš* otvoriť mačacie dvierka sám, Sniežko," zamňaukala Hviezdička slabučko, keď liezla dnu.

„Nuž, už ich nepoužijem," zabrechal Sniežko. Dúfal, že Hviezdičke neprekáža, keď použil jej mačacie dvierka len tento jediný raz. „Viem, že sú iba pre mačky, naozaj!"

Hviezdička nepočúvala. Vďačne bežala do kuchyne a k šteniatkovmu košíku.

Sniežko zubami nadvihol deku, aby mohla pod ňu vliezť. Potom sa uvelebil vedľa nej.

„Celý si taký príjemný, prítulný a teplučký, Sniežko," zamňaukala Hviezdička ospanlivo. „Som *tak* rada, že som opäť doma."

# Chapter Six

Sparkle stirred and snuggled deeper into the blanket. She didn't want to wake up yet, but she could feel something tickling her nose ...

Slowly she opened her eyes. Snowflake was next to her, licking her nose with his big pink tongue.

"Wake up, Sparkle," Snowflake woofed. "Do you want to come and play?"

Sparkle yawned. She was warm and cosy in the basket, and didn't feel like getting up. "No, I'm still sleepy," she mewed.

As Snowflake got out of the basket, Sparkle opened her eyes again and mewed, "Thank you, Snowflake."

"What for?" Snowflake barked.

"For coming to look for me last night, of course," Sparkle purred, rubbing her head against Snowflake lovingly. "You're my *very* best friend!"

"I didn't do so much," Snowflake woofed.

"*You did!*" Sparkle mewed. "I was cold and wet and stuck up that tree, and you found me and brought me home. *And* you

# Šiesta kapitola

Hviezdička sa zamrvila a hlbšie sa zaborila do deky. Ešte sa nechcela prebudiť, ale cítila, že ju niečo šteklí na nose …

Pomaličky otvorila oči. Sniežko bol vedľa nej a lízal jej ňufáčik svojím veľkým ružovým jazykom.

„Zobuď sa, Hviezdička," zahavkal Sniežko. „Nechceš sa ísť hrať?"

Hviezdička zívla. V košíku jej bolo príjemne teplo a nemala chuť vstať. „Nie, som ešte ospanlivá," zamňaukala.

Keď Sniežko vyšiel z košíka, Hviezdička znovu otvorila oči a zamňaukala: „Ďakujem ti, Sniežko."

„Za čo?" zabrechal Sniežko.

„Samozrejme za to, že si ma šiel minulú noc hľadať," zapriadla Hviezdička a nežne si trela svoju hlavu o Sniežkovu. „Ty si *skutočne* môj najlepší priateľ!"

„Neurobil som toho veľa!" zabrechal Sniežko.

„*Urobil si!*" zamňaukala Hviezdička. „Bolo mi zima a bola som premočená, uviazla som hore na tom strome a ty si chased Rocky away. I think you're the bravest, most brilliant dog in the whole world!"

Snowflake thought that maybe he *was* a proper dog after all!

It was snowing again. Snowflake hoped that Ben would take them outside to play when he'd finished his breakfast. He liked the snow. And he didn't even care if he saw Rocky again. Snowflake wasn't scared of the ginger tom any more. He'd soon show him whose garden it was!

Just then the doorbell rang. To Snowflake's surprise, Sparkle didn't dash out to see who it was, like she always did. Instead she snuggled down in the basket again.

"Aren't you going to see who that is?" Snowflake barked.

"No, thank you," Sparkle mewed, staying firmly where she was. "It's too cold!"

"Oh." Snowflake jumped to his feet and followed Ben out of the room.
"Maybe *I'd* better go and see, then."

A big blast of freezing air rushed into the kitchen as Ben opened the front door.

Sparkle shivered, and cuddled down further under her blanket. She began to lick her paws, which were very dirty after her adventure.

"It was the postman," Snowflake woofed

ma našiel a priviedol domov. *A* odohnal si Rockyho. Myslím, že si ten najstatočnejší a najúžasnejší pes na celom svete!"

Sniežko si pomyslel, že azda *je* napokon pravým psom!

Znovu snežilo. Sniežko dúfal, že Ben ich vezme von hrať sa, keď sa naraňajkuje. Mal rád sneh.
A dokonca mu bolo jedno, keby znovu uvidel Rockyho. Sniežko sa už viac nebál ryšavého kocúra. Čoskoro mu ukáže, čia je záhrada!

Práve vtedy zazvonil zvonček. Na Sniežkovo prekvapenie Hviezdička sa nebežala pozrieť, kto to je, tak ako vždy. Namiesto toho sa znovu uvelebila v košíku.

„Nejdeš sa pozrieť, kto to je?" zahavkal Sniežko.

„Nie, ďakujem," zamňaukala Hviezdička, odhodlaná zostať tam, kde bola. „Je veľmi chladno!"

„Och." Sniežko vyskočil na nohy a šiel za Benom von z miestnosti. „Možno by som sa teda *mal* pozrieť radšej ja."

Silný závan mrazivého vzduchu sa vohnal do kuchyne, keď Ben otvoril domové dvere.

Hviezdička sa zachvela a stúlila sa hlbšie pod deku. Začala si lízať labky, ktoré boli veľmi špinavé po jej dobrodružstve.

„To bol poštár," zabrechal Sniežko,

as he bounded back into the kitchen. "He had a parcel for Ben's dad. I growled at him a bit, just to show him who's in charge!"

"Mum, can I go out to play in the snow?" asked Ben, handing the parcel to his dad. "And can I take Snowflake and Sparkle with me?"

"What?" Sparkle yowled. "No way! I don't like getting cold and wet!" And she crawled even further under the blanket, until only the tip of her tail was sticking out.

"I'll play with you, Ben!" Snowflake eagerly raced over to the back door, wagging his tail.

"Let's dig a big hole!"

When Snowflake and Ben had gone outside, Sparkle climbed carefully up on to the kitchen windowsill to watch them.

Snowflake was having a great time, racing around and digging in the snow, but Sparkle was glad to be safe and warm inside the house.

Snowflake saw his best friend watching through the window, and wagged his tail at her.

"You know what, Sparkle?" he woofed. "It's great being a dog!"

"And you know what, Snowflake?" mewed Sparkle happily. "It's even better being a dog's best friend!"

keď prišiel do kuchyne. „Priniesol balík pre Benovho otca. Trochu som naňho zavrčal, aby som mu ukázal, kto tu stráži!"

„Mami, môžem ísť von hrať sa do snehu?" spýtal sa Ben, podávajúc balík otcovi. „A môžem vziať so sebou Sniežka a Hviezdičku?"

„Čože?" zamraučala Hviezdička. „V nijakom prípade! Nechcem prechladnúť a premoknúť!" A vliezla ešte hlbšie pod deku, až jej vytŕčal iba končk chvosta.

„Ja sa s tebou zahrám, Ben!" Sniežko sa nedočkavo hnal k zadným dverám, vrtiac chvostom.

„Vyhrabme veľkú jamu!"

Keď Sniežko s Benom odišli von, Hviezdička sa opatrne vyšplhala na okennú rímsu v kuchyni, aby sa na nich pozerala.

Sniežko sa výborne zabával, pobehoval sem a tam a zabáral sa do snehu, ale Hviezdička bola rada, že je v bezpečí a teple vo vnútri domu.

Sniežko videl svoju najlepšiu priateľku, ako sa pozerá cez okno, a zavrtel na ňu chvostom:

„Vieš čo, Hviezdička?" zabrechal. „Je úžasné byť psom!"

„A vieš ty čo, Sniežko?" zamňaukala šťastne Hviezdička. „Ešte lepšie je byť najlepším priateľom psa!"

# VEĽKÉ PRIATEĽSTVÁ

MLADÉ LETÁ

Nová séria
**dvojjazyčných príbehov**
*(v slovenčine aj v angličtine)*
z prostredia obľúbených domácich zvierat.

V sérii vychádza:

**Dvaja priatelia
Psíček a mačička
Žmurko a Belko**